Ceffylau a Merlod

Anna Milbourne
Dylunio gan Josephine Thompson
a Catherine-Anne MacKinnon

Lluniau gan Giacinto Gaudenzi
Lluniau ychwanegol gan Tim Haggerty
Ymgynghorydd ceffylau: Dido Fisher
Addasiad Cymraeg: Elin Meek

Cynnwys

3 Ceffylau gwyllt
4 Bywyd mewn haid
6 Cotiau a chynffonnau
8 Rhedeg
10 Ebolion
12 Tyfu
14 Iaith ceffylau
16 Cadw'n lân
18 Ymddiried mewn pobl
20 Hyfforddi ceffylau
22 Bywyd mewn stabl
24 Dysgu gyrru
26 Ceffylau gwaith
28 Ceffylau nerthol
30 Geirfa ceffylau
31 Gwefannau diddorol
32 Mynegai

Ceffylau gwyllt

Yn y gwyllt, mae ceffylau a merlod yn byw mewn grwpiau o'r enw heidiau.

Dyma haid o ferlod gwyllt. Ceffylau bach yw merlod.

Bywyd mewn haid

Mae ceffyl yn hoffi byw mewn haid. Mae'n teimlo'n saffach na byw ar ei ben ei hun.

Mewn haid, bydd rhai'n gwylio rhag gelynion tra bydd eraill yn bwyta.

Os yw un o'r ceffylau'n gweld perygl, mae'n rhedeg i ffwrdd ac mae'r lleill yn ei gopïo.

Fel arfer mae llawer o geffylau benywaidd, o'r enw cesig, mewn haid o geffylau gwyllt.

Mae un gaseg yn ben ar y lleill i gyd. Hi sy'n arwain yr haid. Fel arfer mae un ceffyl gwrywaidd, o'r enw ystalwyn, mewn haid. Mae e'n rhedeg yn y cefn.

Mae'n well gan geffylau a merlod fyw gyda'i gilydd.

Cotiau a chynffonnau

Mae blew dros gyrff ceffylau i gyd.
Côt yw'r enw arno.

Mae eu cotiau'n gallu bod yn blaen neu'n batrymog.

Ceffylau Pinto yw enw ceffylau sydd â'r patrwm hwn.

Mae cynffonnau hir gan bob ceffyl.

Yn yr haf, mae ceffyl yn ysgwyd ei gynffon i gael gwared ar bryfed.

Yn y gaeaf, mae cynffor ceffyl yn helpu i gadw'i ben ôl yn gynnes.

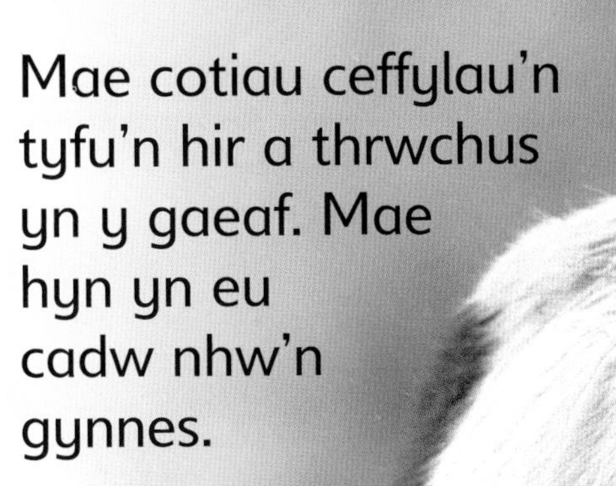

Mae cotiau ceffylau'n tyfu'n hir a thrwchus yn y gaeaf. Mae hyn yn eu cadw nhw'n gynnes.

Mae llawer o geffylau a merlod yn hoffi byw yn yr awyr agored drwy'r flwyddyn, hyd yn oed yn yr eira oer.

Mae cotiau ceffylau'n aml yn newid wrth iddyn nhw dyfu.

Rhedeg

Mae ceffylau'n dda iawn, iawn am redeg. Mae eu coesau hir yn eu helpu i redeg yn gyflym. Yn y gwyllt, mae hyn yn eu helpu i ddianc rhag perygl.

Carlamu – ceffyl yn rhedeg yn gyflym.

Hanner carlamu – ceffyl yn rhedeg yn araf.

Y peth cyntaf bydd ceffyl yn ei wneud os bydd ofn arno, yw rhedeg.

Trotian – ceffyl yn loncian.

Cerdded – ceffyl yn cerdded.

Ebolion

Ebolion yw'r enw ar geffylau bach. Mae ebol yn dysgu sut i gerdded yn ystod awr gyntaf ei fywyd.

Pan fydd ebol yn cael ei eni, mae ei fam yn ei lyfu'n lân.

Mae'r ebol yn ceisio sefyll ond mae'n cwympo o hyd.

Mae'n dysgu sefyll, ac yna'n dechrau camu'n simsan.

Ychydig oriau ar ôl i ebol gael ei eni, mae'n gallu rhedeg yn ddigon cyflym i fynd gyda'r haid.

Dydy ebol newydd ddim yn bwyta porfa i ddechrau. Mae'n yfed llaeth ei fam o dethau ar ei bol.

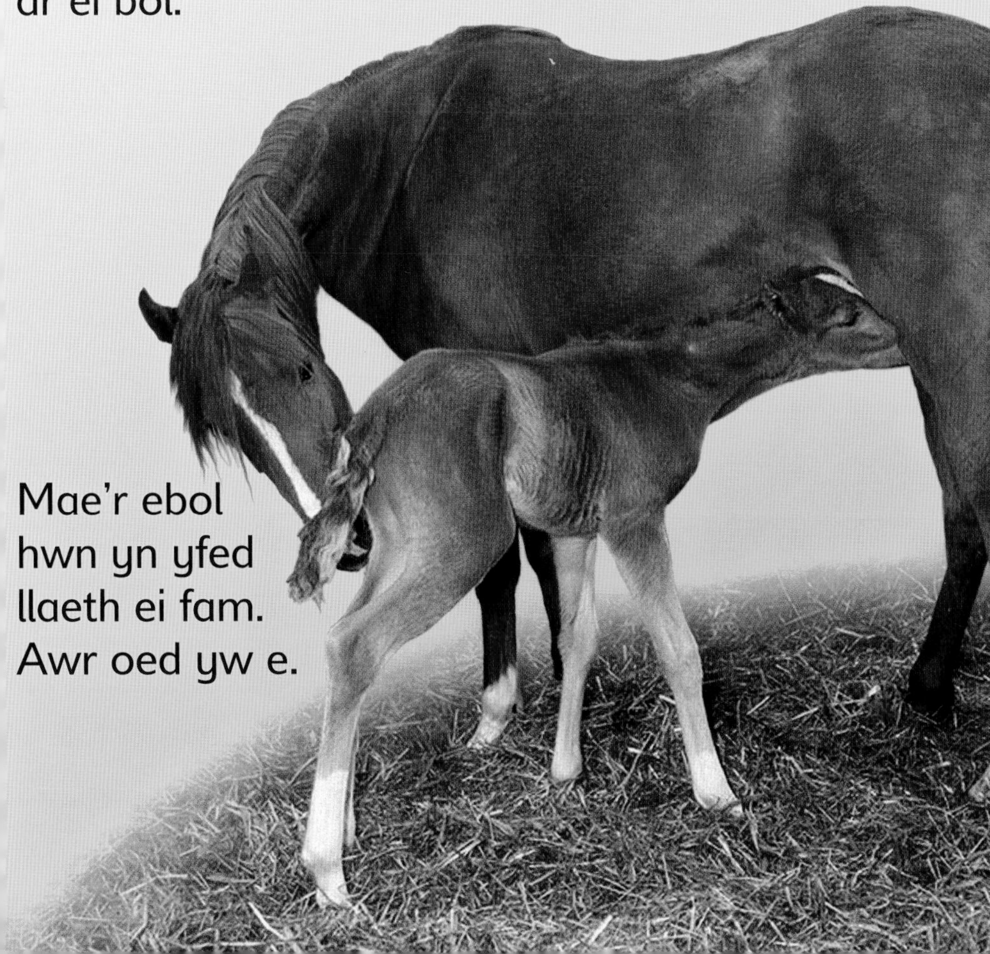

Mae'r ebol hwn yn yfed llaeth ei fam. Awr oed yw e.

Tyfu

Mae ebolion ifanc yn aros yn agos at eu mamau i ddechrau.

Wrth iddyn nhw dyfu, maen nhw'n chwarae ag ebolion eraill.

Maen nhw'n hoffi cicio yn yr awyr a rhedeg.

Swclyn yw enw ar ebol gwrywaidd a swclen yw enw ar ebol benywaidd.

Yn nes ymlaen, mae ebolion yn dechrau bwyta porfa. Maen nhw'n stopio yfed llaeth eu mam.

Mae eu coesau mor hir, mae hi'n anodd cyrraedd y borfa i ddechrau.

Mae'r hen geffylau'n dysgu'r ifanc sut i ymddwyn.

Mae ceffyl ifanc yn cicio caseg. Mae hi'n ei erlid i ymyl yr haid.

Dydy e ddim yn hoffi hyn. Os yw e'n dda, caiff ddod 'nôl.

Iaith ceffylau

Rwyt ti'n gallu dweud sut mae ceffyl yn teimlo wrth y ffordd mae'n edrych ac yn ymddwyn.

Mae ceffylau'n codi eu gwefl uchaf fel hyn pan fyddan nhw'n gallu arogli neu flasu rhywbeth diddorol.

Mae ceffylau'n gweryru, ffroeni a gwichian. Maen nhw hefyd yn rhoi arwyddion tawel.

Mae ceffyl ofnus yn troi ei glustiau am 'nôl ac yn dangos gwyn ei lygaid.

Os yw ceffyl yn crafu'r tir â'i garn, efallai ei fod yn teimlo'n ddiamynedd.

Bydd ceffyl cyffrous yn prancio o gwmpas gan ddal ei gynffon yn uchel.

Bydd ceffyl blin yn rhoi ei glustiau'n fflat ac efallai bydd yn dangos ei ddannedd.

Cadw'n lân

Pan fydd ceffylau a merlod yn ymolchi, gwastrodi yw'r enw ar hyn. Maen nhw'n cnoi eu cotiau i gael gwared ar lwch a thrychfilod.

Mae'r ceffylau hyn yn gwastrodi ei gilydd. Mae hyn yn dangos eu bod nhw'n ffrindiau.

Mae'r ceffyl hwn yn rholio i grafu ei gefn. Wrth iddo rolio, mae trychfilod sy'n ei gosi'n cael eu rhwbio i ffwrdd.

Mae pobl sy'n cadw ceffylau anwes yn eu gwastrodi nhw'n aml. Mae ceffylau fel arfer yn hoffi cael eu gwastrodi.

Yn gyntaf, mae'r perchennog yn crafu'r mwd o garnau'r ceffyl.

Mae'n brwsio'r gôt. Yna, mae'n brwsio'r mwng a'r gynffon.

Ymddiried mewn pobl

Mae ceffylau gwyllt yn ofni pobl. Mae hyfforddw
yn copïo sut mae ceffylau'n ymddwyn gyda'i
gilydd i ddysgu ceffyl i beidio ag ofni.

Os yw ceffyl eisiau i geffyl arall ddod yn nes,
bydd yn troi i ffwrdd.

I ofyn i geffyl ddod ato, mae hyfforddwr yn
troi i ffwrdd hefyd. Mae hyn yn dweud wrth
y ceffyl, 'Dere ata' i. Wnaf i ddim niwed i ti.'

Mae ceffylau'n dod i nabod pobl wrth eu harogl.

Dyw ceffylau gwyllt ddim yn hoffi i bobl gyffwrdd â nhw. Mae'n rhaid iddyn nhw ddysgu ymddiried ynddyn nhw'n gyntaf.

Mae anifeiliaid anwes yn ymddiried mewn pobl ac yn hoffi cael eu hanwesu.

Hyfforddi ceffylau

Mae pob ceffyl yn ymddwyn fel ceffyl gwyllt nes cael ei hyfforddi. Mae ceffylau anwes yn cael eu hyfforddi'n syth ar gyfer marchogaeth.

Mae hyfforddwr yn anwesu ebol fel ei fod yn dod yn gyfarwydd â phobl.

Mae ei fam yn cadw'n agos i'w helpu i deimlo'n ddiogel.

Mae ebol yn dysgu sut i gael ei arwain gan wisgo penffust.

Mae ceffyl ifanc yn neidio o gwmpas wrth ddysgu gwisgo cyfrwy am y tro cyntaf.

Mae'r hyfforddwr yn symud y ffrwynau hir er mwyn ei ddysgu i droi i'r chwith neu i'r dde.

Bywyd mewn stabl

Mae llawer o geffylau anwes yn byw mewn stablau gyda cheffylau a merlod eraill.

Drwy fyw'n agos at ei gilydd, dydyn nhw ddim yn unig.

Bob dydd, mae pobl yn clirio'r stablau ac yn dod â bwyd.

Mae pobl yn dod i'r stablau i farchogaeth neu i gael gwersi.

Mae cae gerllaw lle mae'r ceffylau'n gallu rhedeg yn rhydd.

Mae ceffylau anwes yn gwisgo pedolau metel fel nad yw eu carnau'n treulio.

Ffarier yw'r dyn hwn. Mae e'n trimio carn y ceffyl cyn rhoi pedol arno.

Mae ceffylau'n cael pedolau newydd chwech i wyth gwaith y flwyddyn.

Dysgu gyrru

Mae llawer o bobl yn marchogaeth ceffylau am hwyl. Mae'n cymryd blynyddoedd i wybod sut i farchogaeth yn dda.

Mae'n rhaid marchogaeth yn eithaf da i neidio ceffyl dros foncyff fel y ferch hon.

Mae'r rhan fwyaf o geffylau a merlod o leiaf dair blwydd oed cyn i bobl eu marchogaeth.

Rwyt ti'n gallu dysgu marchogaeth mewn ysgol farchogaeth.

1. Yn gyntaf, rhaid dysgu mynd ar gefn y merlyn ac oddi arno.

2. Rhaid dysgu eistedd yn llonydd yn y cyfrwy.

3. Nesaf, rhaid dysgu sut i ofyn i'r merlyn fynd, aros a throi.

4. Wedyn, rhaid dysgu sut i drotian a hanner carlamu ar y merlyn.

Ceffylau gwaith

Mae pobl yn defnyddio ceffylau i'w helpu i weithio ac ar gyfer chwaraeon.

Mae merlod Yakut
yn byw ger Pegwn y Gogledd. Maen nhw'n helpu pobl i dynnu slediau.
Mae hi mor oer yno, fyddai unrhyw fath arall o geffyl ddim yn gallu goroesi.

Mae rhai ceffylau'n gweithio ym myd ffilmiau. Maen nhw'n dysgu triciau, fel sut i eistedd neu gwympo.

Mae ceffylau pedigri'n gallu rhedeg yn gyflym iawn. Ceffylau pedigri yw'r rhan fwyaf o geffylau rasio.

Mae ceffylau heddlu'n ddewr a thawel ac yn helpu i reoli tyrfaoedd.

Maen nhw'n dysgu peidio â rhedeg wrth glywed synau uchel.

Maen nhw'n dysgu aros yn dawel yng nghanol tyrfa o bobl.

Ceffylau nerthol

Cyn i injans gael eu dyfeisio, roedd angen ceffylau i gario pobl a thynnu pethau.

Heb dractorau, roedd ffermwyr yn defnyddio ceffylau gwedd cryf i ffermio'r caeau.

Ceffylau oedd yn tynnu'r trenau cyntaf ar hyd traciau.

Roedd ceffylau cryf yn tynnu cychod camlas fel hyn.

Roedden nhw'n bwyta allan o fagiau ceirch wrth gerdded.

Cyn bod ceir, roedd pobl yn mynd mewn cerbydau wedi'u tynnu gan geffylau.

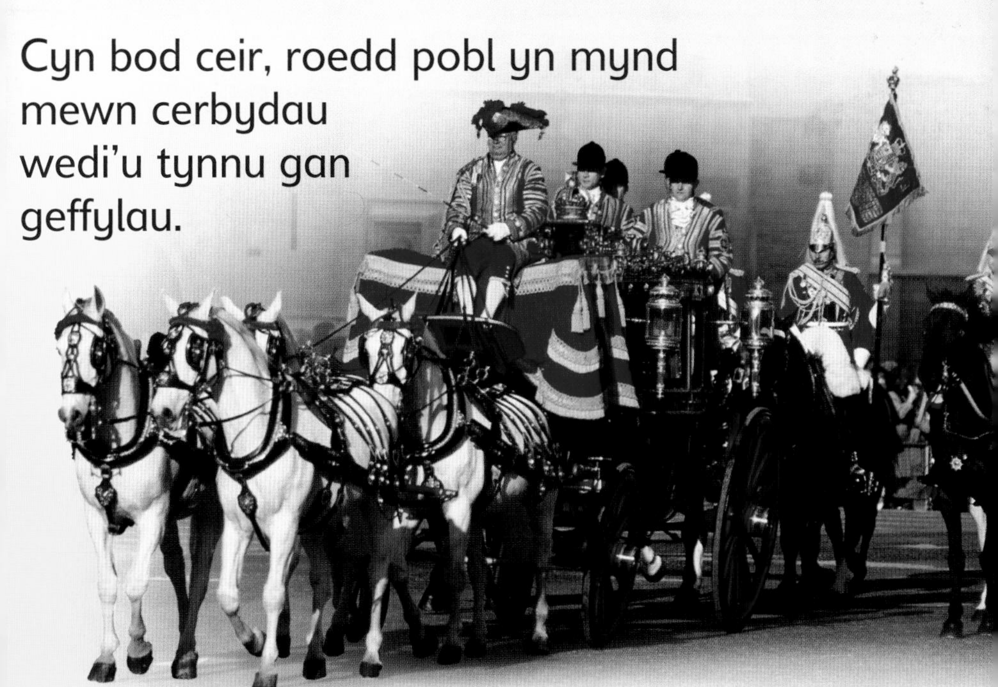

Mae cerbydau fel hwn yn dal i gael eu defnyddio ar achlysuron arbennig.

Geirfa ceffylau

Dyma rai o'r geiriau yn y llyfr hwn sy'n newydd i ti, efallai. Mae'r dudalen hon yn rhoi'r ystyr i ti.

haid – grŵp o anifeiliaid sy'n byw gyda'i gilydd fel teulu.

ebol – ceffyl neu ferlyn bach. Swclen yw' benywaidd a swclyn yw'r gwrywaidd.

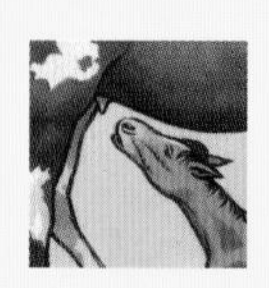

teth – mae tethi gan lawer o anifeiliaid benywaidd i roi llaeth i'w babanod.

gwastrodi – pan fydd person yn glanhau ceffyl neu geffylau'n glanhau eu hunain.

hyfforddwr – rhywun sy'n dysgu neu hyfforddi ceffylau a merlod.

stabl – man lle mae ceffylau a merlod anwes yn byw.

ffarier – person sy'n gwneud ac yn ffitio pedolau ceffylau.

Gwefannau diddorol

Mae llawer o wefannau diddorol i ymweld â nhw i ddysgu rhagor am geffylau a merlod.

I ymweld â'r gwefannau hyn, cer i **www.usborne-quicklinks.com.** Darllena ganllawiau diogelwch y Rhyngrwyd, ac yna teipia'r geiriau allweddol **"beginners horses"**.

Caiff y gwefannau hyn eu hadolygu'n gyson a chaiff y dolenni yn 'Usborne Quicklinks' eu diweddaru. Fodd bynnag, nid yw Usborne Publishing yn gyfrifol, ac nid yw chwaith yn derbyn atebolrwydd, am gynnwys neu argaeledd unrhyw wefan ac eithrio'i wefan ei hun. Rydym yn argymell i chi oruchwylio plant pan fyddant ar y Rhyngrwyd.

Dyma ebol yn chwarae gyda'i fam. Os yw'r ebol yn rhy ddrwg, fydd hi ddim yn rhoi unrhyw sylw iddo.

Mynegai

bag ceirch, 29
bwyta, 4, 11, 13
carlamu, 8
ceffylau gwaith, 26-29
ceffylau gwedd, 28
ceffylau heddlu, 27
ceffylau rasio, 27
cerbydau, 29
cesig, 5, 13
côt, 6-7, 16, 17
cyfrwy, 21, 25
cynffonnau, 6, 15, 17
chwarae, 12
ebolion, 10-13, 20, 21, 30
ffarier, 23, 30
ffrwynau, 21
gwastrodi, 16-17, 30
haid, 3, 4-5, 11, 13, 30
hanner carlamu, 8, 25
hyfforddiant, 18, 20-21, 2
30
llaeth, 11, 13, 30
marchogaeth, 20, 22, 24-
neidio, 24
pedolau, 23, 30
penffust, 21
stablau, 22, 30
swclen, 12, 30
swclyn, 12, 30
trotian, 9, 25
ystalwyni, 5

Cydnabyddiaeth

Gyda diolch i John Russell

Lluniau

Mae'r cyhoeddwyr yn ddiolchgar i'r canlynol am yr hawl i atgynhyrchu eu deunydd:
ⓗ **Alamy Images:** clawr (Nancy Greifenhagen); 4-5 (Mark J. Barrett), 8-9 (Photovalley/MICEK); ⓗ **Andrea London:** 14 (M. Watson); ⓗ **Bob Langrish:** 7, 12, 28; 16 (Gunter Marx), 29 (Tim Grahan ⓗ **Getty:** 27 (Daikusan); ⓗ **Horsepix:** title page, 6, 13, 20, 31; **ImageState:** 2-3; ⓗ **NHPA:** 26 (B&C Alexander); **Powerstock:** 17 (Georgie Holland); ⓗ **Warren Photographic**: 11.
Llun ar dudalen 24 gan Kit Houghton.

Cyhoeddwyd gyda chefnogaeth Llywodraeth Cynulliad Cymru.

Cyhoeddwyd gyntaf yn 2004 gan Usborne Publishing Ltd., Usborne House, 83-85 Saffron Hill, Llundain EC1N 8
Cyhoeddwyd gyntaf yng Nghymru yn 2010 gan Wasg Gomer, Llandysul, Ceredigion, SA44 4JL.
www.gomer.co.uk

Gomer
Anifeiliaid Peryglus

Gomer
Bale

Gomer
Byw yn y gofod

Gomer
Ceffylau a Merlod

Gomer
Celtiaid

Gomer
Coedwigoedd glaw

Gomer
Cŵn

Gomer
Deinosoriaid

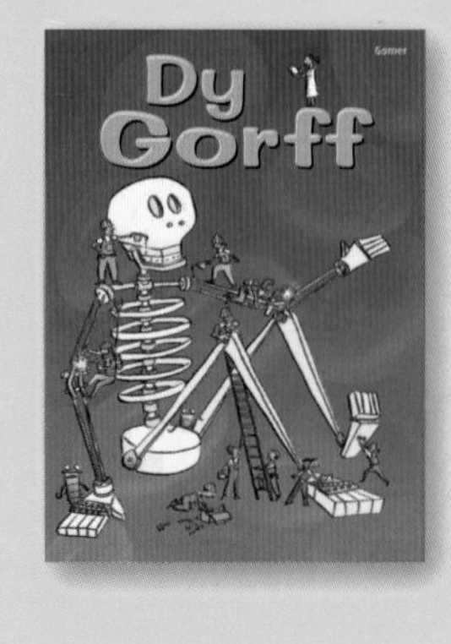
Gomer
Dy Gorff

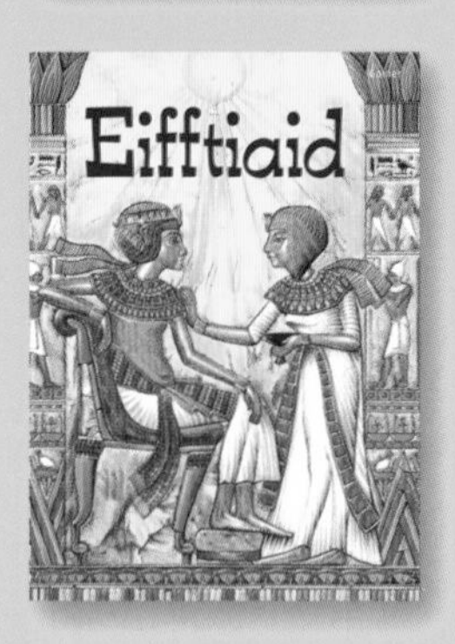
Eifftiaid